KB103717

삶이 감동하고 변화되는 감사의 은혜

인생이 변화되는 감사일기 쓰는 15가지 방법

차유찬 글, 차승욱 엮음

삶이 감동하고 변화되는 감사의 은혜

발　행 | 2024년 01월 17일
저　자 | 차유찬, 차승욱
펴낸이 | 한건희
펴낸곳 | 주식회사 부크크
출판사등록 | 2014.07.15.(제2014-16호)
주　소 | 서울특별시 금천구 가산디지털1로 119 SK트윈타워 A동 305호
전　화 | 1670-8316
이메일 | info@bookk.co.kr

ISBN | 979-11-410-6725-0

www.bookk.co.kr

삶이 감동하고 변화되는 감사의 은혜

인생이 변화되는 감사일기 쓰는 15가지 방법

차유찬 글, 차승욱 엮음

CONTENT

프롤로그 P8

제1화 감사한 마음으로 P13

P23 감사한 마음으로
P14 감사가 곧 인생이다
P15 세상의 그 어떤 것보다 더 감사한 감사일기
P22 퇴원한 엄마에 대한 감사
P24 건강할 수 있음에 행복하고 감사
P26 하루를 시작하는 감사

제2화 감사는 사랑이다 P28

P28 감사는 사랑이다
P29 사랑하면 감사가 가득해진다
P30 감사하면 모든 것을 사랑할 수 있다
P31 감사 격언 모음

제3화 감사는 행복이다 P33

P33 감사는 행복이다
P34 삶에 대한 감사가 시작이다
P35 감사가 곧 행복이다
P36 감사하면 행복해지는 마음

제4화 삶 자체가 감사이다 P38

P38 삶 자체가 감사이다
P39 감사는 하나님의 은총이다
P41 감사하는 마음은 우리의 삶을 변화시킨다
P42 진정한 감사는 자신의 내면으로부터 나온다
P44 자녀와 함께 감사일기를 쓰자

제5화 인생을 변화시키는 감사일기 쓰는 15가지 방법 P48

프롤로그

삶이 감동하고 변화되는 감사의 은혜

아들이 중학교에 입학했다. 아들은 중학생이 되면서 육과 영이 함께 성장해 나갔다. 중학교에 입학하면서 어느 날 학교에서 “감사일기” 책을 가지고 왔다. “아빠 감사일기 잘 T면 상도 준대….” 그렇게 시작된 아들과 함께 쓰는 감사일기는 2년 동안 우리의 삶을 바꾸어 나갔다.

중학교에 입학하면서 학습에 대한 어려움을 느꼈던 아들은 그럼에도 불구하고 좋은 생각과 감사함으로 하루하루를 채워 나갈 수 있는 밑거름이 되었다.

아들은 내가 서울에 있을 때 태어났다. 아들과 나는 베다니교회에 어릴 때부터 함께 다녔다. 베다니교회에서 함께 예배드리고 기도하고 교회가 끝나면 베다니교회에서 맛있는 국수도 먹었다.

유찬이는 3~4살 때부터 베다니교회에 다녔다. 나는 유찬이가 어렸을 때 베다니교회 유아부에 등록해서 다녔다. 매주 주일이면 유찬이를 데리고 베다니교회 유아부에 함께 갔다. 유찬이는 중학교를 졸업할 때가 되었지만 아직도 기억하고 있다고 했다.

벌써 중학교를 졸업할 때가 되었다. 석천중학교를 다니면서 공부를 제외하고 2년 동안 쓴 "감사일기"가 가장 기억에 남는다. 중학교에 와서 영과 육이 많이 성장하면서 "감사일기"를 통해서 북한도 무서워한다는 중학교 2학년 "질풍노도의 시기"를 큰 무리 없이 잘 보낼 수 있었다.

아빠와 함께 쓴 2년간의 "감사일기"는 자녀 양육에 있어서 정말 필수불가결한 것으로 생각하게 되었다. "감사일기"를 통해서 나와 아들은 영적으로 더 성장하고 성숙하게 된 큰 계기가 되었다.

살아보면 모든 것이 하나님의 은혜라는 것을 깨닫게 된다.

이 책은 저자 이상춘 대표의 "감사와 섬김 365"를 거의 2년 동안 아들과 쓴 감사일기를 정리하고 느낀 부분을 다시 에세이 형식으로 작성하였다. 이 책의 근간은 "감사와 섬김 365"책에 있음을 알려 드린다.

2024. 1. 16
겨울의 어느 날
꿈실천가 SUNCHA 차승욱 엮고 차유찬 씀

이 책을 우리를 주관하시고 은혜로우신 하나님과,

아들과 함께 2년 동안 감사일기를 쓸 수 있도록 해준
김천 석천중학교와 이상춘 대표님에게
고맙고 감사함을 전해 드립니다.

제1화 감사한 마음으로

감사한 마음으로

매일매일 살아 있음이
고맙고 감사한 것이다.

우리는 인생 그 자체만으로
하나님이 주신 선물이며 은혜이다.

하루하루 감사한 마음으로
행복하게 살아가자.

감사가 곧 인생이다

감사하면 인생이 달라진다.

오늘에 감사하는 사람은
내일이 달라지고,

한 주를 감사할 수 있는 사람은
한 달의 삶이 달라진다.

1년을 감사할 수 있는 사람은
10년의 삶이 달라지고

10년을 감사할 수 있는 사람은
인생이 달라지게 될 것이다.

세상의 그 어떤 것보다 더 감사한 감사일기

중학교에 다니면서 아들과 나는 감사일기를 쓰기 시작했다.

아들은 중학교에 승급하면서 중학교에서 이상한 책 한 권을 받아왔다. 이름하여 "감사일기 책"이란다.

세상에 태어나서 감사일기 책은 처음 들어보았다. 무슨 책 이름이 감사일기 책이라니…. 아들은 그러면서 감사일기를 잘 쓰면 상장과 함께 장학금도 준다고 했다. 그렇게 아들과 나는 중학교에 승급하면서 감사일기를 쓰기 시작했다.

매일 매일 감사일기를 썼다. 아들은 그렇게 감사일기 책을 받아와서 매일 매일 감사일기를 쓰기 시작했다. 감사일기 책을 쓰는데 학교에서 제시한 기준은 없었다. 아들은 학교의 다른 선배들에게 물어보았다. 학교 선배들이 4~5가지를 감사일기에 쓰면 된다고 했다. 아들은 매일 감사한 것을 4~5가지 정리해서 책에 적기 시작했다.

1년 반이 지난 지금 돌아보면 학교생활에서 공부하는 것과 친구를 사귀는 것보다 더 좋았던 것이 감사일기를 1년 동안 썼던 것이었다.

감사일기를 쓰면서 변화된 아들의 모습들이 있었다.

첫째, 감사일기를 쓰면서 아들은 매일 감사한 것에 대하여 생각하게 되었다. 감사일기를 쓰면서 매일 똑같은 것을 쓰지 못했다. 아들은 매일 감사일기를 쓰면서 어제와 다른 감사한 것에 대하여 고민하였다. 어떤 것이 감사한 것인지를 고민하면서 하루를 살게 되었다.

둘째, 세상에 감사할 것이 정말 많다는 것을 알게 되었다. 아들은 감사일기를 한 달, 두 달, 석 달, 넉 달 쓰면서 세상에 살아가면서 감사해야 할 것들이 정말 많다는 것을 알게 되었다. 하물며 잠자는 것에까지 감사함을 생각하게 되었다. 보통 중학생들이 이런 생각을 할 수 있을까? 하는 생각도 하게 되었다.

감사일기를 쓰지 않았다면 이런 감사함까지 생각하지도 못했을 것이다.

셋째, 감사일기를 미루게 되면 소설을 쓰게 된다는 것을 알게 되었다. 중간고사 기간이나 기말고사 기간에는 감사일기를 제때에 쓰지 못했다. 그럴 때 아들은 일주일이나 이주일 지난 후에 밀린 감사일기를 써야만 했다.

아들은 그때마다 나에게 이렇게 얘기했다.
"아빠…. 감사일기도 미루니까 소설을 쓰는 것 같아"

내가 물었다.
"왜?“

"그날그날 감사했던 것을 잘 모르니까 아무것이나 써야 하잖아……."라고 말했다.
그래…. 맞다….

어떤 일이든 해야 할 때가 있다. 어떤 일을 해야 할 때 미루고 하지 않은 일은 나중에 산더미 같은 일이 되어 나에게 돌아오고 어떤 소설을 써야 할지도 모른다는 것을 아들은 깨닫고 있었다.

넷째, 아들의 마음이 넓어졌다? 아들하고 매일 같이 공부를 한다. 아들은 성격이 느긋한 편이다. 나는 오늘까지 한 목표를 달성해야 풀리는 목표 지향적이다. 아들은 그날 목표한 공부를 못할 때가 많다.

그럴 때마다 나에게 이렇게 말한다.
"아빠 오늘도 공부할 수 있는 것에 감사해야지요……."

그렇게 말할 때마다 나는 할 말을 잃어버리곤 한다. 짜식....

다섯째, 매일 식사 전에 감사기 도하는 습관이 들었다. 중학교로 승급하고부터 아들하고 둘이 밥을 먹을 때마다 아들이 대표기도를 한다. 아들의 기도는 항상 감사 기도이다.

"하늘에 계신 아버지 이렇게 일용할 양식을 주셔서 감사드립니다. 오늘도 맛있게 먹겠습니다."

아들은 먹을 것 앞에서 주저하지 않는다. 아빠하고 먹을 것을 가지고 경주를 하듯이 먹어버린다.

감사 기도의 기도가 사라지기 전에 이미 다 먹어버린다.

오늘도 나는 아들과 함께 공부한다. 나는 블로글 글쓰기, 책 쓰기를 하고 아들은 자신이 해야 할 공부를 한다. 중학교 2학년 2학기가 되면서 자아가 많이 성장했다.

내가 방향만 가르쳐 주면 자신이 알아서 한다. 하지만 가끔 집중력이 흐트러질 때가 있다.

그럼에도 불구하고 나는 아들을 믿는다.

아들은 오늘 목표로 했던 과목을 공부를 끝내고 집에 가서 축구를 본다고 했다.

지금도 자신의 페이스대로 공부하고 있다.

감사일기를 쓰면서 아들은 감사함에 대하여 많이 생각하게 되었다. 가끔 아들의 얘기를 듣고 있으면 나와는 다른 따스함을 느낀다. 아들이 많이 성장하고 있다는 것을 하루하루 느낀다.

아들은 가끔 나에게 눈치도 준다.
"아빠 오늘은 집에 가면 아무 말 하지 말고 그냥 있어……."

참 내 그 녀석 내가 누구 눈치를 보는지 모르겠다.

벌써 고마운 아들이다.

살아오면서 살아 있다는 것에 대하여 정말 감사하다는 생각을 하게 된다.

이제는 벌써 인생이라는 여행을 마치고 흙으로 돌아간 친구들도 많이 있다. 나이 들어오면서 큰 사고 없이 살아온 것에 대하여 감사하게 생각한다. 사업을 하면서 어려웠던 시절을 잘 이겨낼 수 있었던 것에도 감사하다.

살아가면 갈수록 인생이 더욱 감사함이 나에게 다가온다.

살아보면 모든 것이 하나님의 은혜라는 것을 깨닫게 되는 것 같다.

어떤 사람은 150억을 벌어도 자신만을 위해 사용하는 사람도 있고 어떤 사람은 재단을 설립해서 다른 사람들을 돕는 사람도 있다.

(주)에스씨엘 대표이사이신 송암 이상춘 대표님께 감사의 말씀을 드린다. 15세의 공장 견습생이 청년 사장이 되어 100억대의 장학재단을 설립하고 나눔을 실천하시는 모습에 귀감을 얻는다.

고맙고 감사드린다.

퇴원한 엄마에 대한 감사

오늘 엄마가 드디어 병원에서 퇴원하는 날이다. 엄마는 1월쯤 나하고 자장면을 함께 맛있게 먹고 집으로 돌아오는 길에 사고를 당했다.

사고면 사고일까? 아니면 내 발에 걸려서 넘어진 것일까? 엄마는 그렇게 오른쪽 무릎뼈가 부러졌다. 아빠와 나는 약 2개월 동안 엄마가 없는 집에서 엄마에게 매일 감사하며 보냈다.

엄마가 집에서 얼마나 소중한지 2개월 동안 깨닫게 되었던 순간이었다. 아빠는 엄마가 없는 동안 혼자서 밀린 빨래를 하시고 이마트, 롯데마트에 들러서 밀키트를 사 가지고 와서 나와 함께 매일 아침과 저녁을 먹었다.

우리는 밀키트의 공장화된 맛에 익숙해질 때 엄마가 퇴원할 수 있다는 기쁜 소식에 감사해야만 했다.

그렇게 엄마는 의료원에서 퇴원하게 되었고 아빠와 나는 엄마가 집으로 오는 것을 너무 감사하고 고맙게 생각했다.

나는 엄마의 퇴원에 대하여 하나님께 감사하다는 기도를 하였다. 엄마의 퇴원은 아빠와 나를 살리는 하나님의 신실하심을 느끼게 해 주었다.

엄마는 아빠에게 필요한 생필품을 주문하면 아빠는 마트에 들러서 장을 봐서 가지고 오셨다. 엄마는 그렇게 약 2개월의 공장에서 찍어낸 맛을 벗어나게 해 주었다. 엄마의 소중함에 감사하고 고마움을 느꼈던 순간이었다.

건강할 수 있음에 행복하고 감사한 마음

오늘 TV에서 어릴 때부터 소아암으로 아파서 고생하는 아이에 대하여 보게 되었다. 그 아이는 태어나면서 악성종양에 걸려서 아팠다. 내가 누리는 모든 것, 학교 가고 친구와 놀고 햄버거 사 먹고 하는 등을 아무것도 할 수가 없었다.

대부분의 우리들은 건강해서 어떤 것이든 다하고 살아간다. 아니 건강함이 왜 고마움인지를 모르고 살아가는 것 같았다. 우리들에게 건강은 당연한 것 인지도 모르겠다.

교회에 갈 수 있고 교회에서 맛있는 간식을 먹을 수 있어서 감사하다. 그것조차 내가 건강해서 누리는 호사가 아니었던가.

어릴 때부터 아픈 아이들이 생각보다 많다는 이야기를 듣고 마음이 아주 아팠다. 그 아이들은 무슨 죄가 있는 것인가? 왜 그 아이들만 유독 어릴 때부터 아픈 것인가? 어릴 때부터 아픈 아이들은 오히려 자신이 아파서 부모님께 미안하다는 말을 한다.

우리가 건강해서 누릴 수 있는 많은 것들이 하나님의 은혜임을 다시 생각해 본다. 아마 나도 어릴 때부터 아팠다면 친구들과 축구하고 공부하고 책을 읽지 못했을 것이다.

내가 건강할 수 있고 건강을 통해서 당연한 것들을 할 수 있어서 너무 고맙고 감사하다. 감사를 통해서 더 많은 것을 알고 깨닫게 된 하루였다. 하루의 삶 속에서 감사함을 더 생각하게 되었다.

하루를 시작하는 감사

유찬이는 감사일기를 쓰기 시작하면서 삶의 변화가 시작되었다. 감사일기를 처음에 쓸 때는 하루가 끝나는 시점에 썼다. 내가 한 일에 감사하고 또 감사한 마음으로 썼다.

저녁에 감사일기를 써다가 잊어버리고 잠잘 때도 많았다. 몇 번 쓰지 못하고 잠들다가 문득 아침에 쓰면 되지 않을까 하는 마음이 들었다.

유찬이는 감사일기를 아침에 쓰고 학교에 갔다. 아침에 쓰는 감사일기는 마치 하루에 대한 감사처럼 자신에게 다가왔고 하루를 감사한 마음으로 보낼 수 있었다.

유찬이는 그렇게 감사일기를 아침에도 쓸 수 있다는 것을 배울 수 있었다.

제2화 감사는 사랑이다

감사는 사랑이다

감사한 마음을
친구에게 전해주면
그것은 우정이 된다.

사랑하는 사람에게
고맙고 감사한 마음을 전해보자.
삶이 달라질 것입니다.

사랑하면 감사가 가득해진다

사랑하면
삶에 감사함이 가득해진다.

어떤 것이든 감사하고
무엇에도 감사할 수 있게 된다.

사랑하는 마음은
감사의 마음이다.

자신의 인생을 사랑하면
자신의 삶에 감사가 가득하게 될 것이다.

자신을 사랑하면
자신에 대한 감사로 가득 차서
인생이 변화되기 시작할 것이다.

사랑은 감사이다.

감사하면 모든 것을 사랑할 수 있다

도덕 시간에 친구들이 노래 부르는 것을 들어서 감사했다. 나는 친구들 앞에서 노래하는 것을 별로 좋아하지 않는다. 집에 와서 수학학원 숙제를 다 해서 감사했다.

감사일기를 쓰면서 모든 것을 사랑할 수 있지 않을까 하는 생각을 해보았다. 감사한 마음이 가득해지면 모든 것에 고마워지고 고마워지면 사랑이 가득해진다.

감사일기를 쓰면 감사한 마음에 대하여 더 생각하게 된다.

일상에 대한 감사는 삶의 감사로 다가왔다.

감사 격언 모음

하나님께 드리는 최고의 감사는 평범한 삶에 감사하는 것이다 - 버이킷

감사를 표현하는 가장 좋은 방법은 모든 것을 기쁨으로 받아들이는 것이다 - 마터 테레사

어려운 일을 만나면 감사할 일을 찾아 진실하게 감사하라 - 칼 힐티

가장 축복받는 사람이 되려면 가장 감사하라
- 쿨리지

감사하는 영을 개발하라! 그러면 영원한 축제를 즐길 수 있을 것이다 - 맥더프

어떤 아름다운 것도 감사를 빼면 절름발이다 - 조웻

제3화 감사는 행복이다

감사는 행복이다

감사는 행복이다.

모든 일에 감사하면
완전히 다른 삶을 살게 될 것이다.

매 순간, 매일 감사함을 생각하고
감사함을 전해보자.

행복한 삶이 다가올 것이다.

삶에 대한 감사가 시작이다

삶의 모든 것에 대한 감사는
우리 자신을 감동시키며
일상에 대한 감사는
자신을 변화시킨다.

감사를 해보면
자신의 모든 것에 대하여
다시 생각하게 된다.

감사는 삶에 대한 감사가 시작이다.

감사가 곧 행복이다

감사하면 행복해진다.

살아 있음에 감사하고
공부할 수 있음에 감사하고
건강함에 감사해보자.

모든 것이 행복해질 것이다.

감사가 곧 행복이니
행복해지려면 감사해보자.

감사하면 행복해지는 마음

오늘 교회 갈 수 있어서 감사하고 교회에서 맛있는 간식을 받아서 감사하다. 교회에 안 갔다면 맛있는 간식도 못 받았을 것이고 감사한 마음도 느끼지 못했을 것이다.

하루의 일에 대하여 내가 감사하면 마음도 몸도 행복할 수 있다는 것을 알게 된다. 내가 감사하지 않아도 그 일들은 시간이 지나가면 사라지고 기억 속에서 없어지게 될 것이다.

반대로 어떤 일이든 내가 감사하게 된다면 그 감사함으로 인하여 내가 행복해질 수도 있다는 것이다. 교회에 가서 감사하고, 교회에서 햄버거를 받아서 감사하다. 그 감사는 다시 나를 행복하게 만들어 준다.

감사를 통해서 더 많은 것을 알고 깨닫게 된 하루였다. 하루의 삶 속에서 감사함을 더 생각하게 되었다.

제4화 삶 자체가 감사이다

삶 자체가 감사이다

삶 자체가 감사이다.

우리의 인생 그 자체가
하나님이 주신 선물이며,
감사한 일이다.

생명 그 자체만으로도
고맙고 감사한 일이며
하나님이 주신 생명에 고마워하며
감사하게 살아가야 한다.

감사는 하나님의 은총이다

유찬이는 거의 모태신앙이다. 유찬이는 서울에서 태어났다. 아주 어릴 때는 제외하고 걸어 다니기 시작할 때부터 유찬이는 베다니교회 유아부에 다녔다.

베다니교회 유아부를 유찬이와 함께 다니면서 유찬이를 위해서 많이 기도했다. 조금 성장하고 김천으로 내려오게 되면서 김천 제일교회를 다니기 시작했다. 그렇게 유찬이는 하나님과 가까운 사이가 되었다.

초등부 시절에는 만화로 된 성경을 많이 읽어서 구약성서와 신약성서에 대하여 익숙해질 수가 있었다. 중등부에서도 유찬이는 하나님의 은혜에 대하여 생각을 많이 하게 되었다.

지금까지도 식전 기도를 유찬이가 한다. 하나님을 믿지 않는 엄마를 끝까지 하나님을 믿게 해야 한다고 생각하고 있다.

중학교에서 공부하면서 더욱 하나님에 대한 감사를 생각하게 되었다. 세상에 어떤 일이든 마음대로 되는 일은 거의 없다.

공부를 열심히 해 보았지만, 더 열심히 하는 친구들에게 밀려나기가 일쑤였다. 유찬이는 포기하지 않았고 계속 공부했다. 3학년에서는 좋은 결과를 얻을 수 있게 되었다.

감사는 하나님의 은총이다. 하나님의 은혜가 없으면 어떻게 우리가 살아갈 수 있을지에 대하여 생각해 보았다.

감사하는 마음은 우리의 삶을 변화시킨다.

감사하는 마음을 가지면 태도가 변화되기 시작한다. 자신의 주위에 일어나는 모든 것에 대하여 감사한 마음을 가진다면 모든 것에 행복해질 수 있다.

자신의 주변에 일어나는 조그마한 것에 감사해보자. 감사는 작은 것에서부터 시작해야 한다. 작은 것에 감사할 수 있는 사람은 큰 것은 당연히 감사할 수 있는 사람이 된다.

작은 것에 감사하는 사람은 작은 것에 행복을 느낄 수 있는 사람이다. 작은 것에 감사하기 시작하면 자신의 태도가 변화되고 자신의 태도가 변화되면 인생을 바라보는 가치관이 바뀌기 시작한다. 인생의 가치관이 올바르게 바뀌면 자신의 인생이 바뀌게 될 것이다.

감사하게 되면 자신의 인생을 바꿀 수 있게 되는 것이다.

진정한 감사는 자신의 내면으로부터 나온다

감사일기를 처음에 쓰면 그냥 일상적인 것에 대한 감사가 주를 이룬다. 작은 것보다는 일반적으로 일어나는 것들에 대한 감사이다. 밥을 먹고 학교를 하고 공부를 하고 친구들과 놀고 하는 일상적인 생활에 대한 감사이다.

감사일기를 쓰고 시간이 지나감에 따라 감사일기는 더 자세하게 쓰게 된다. 감사는 처음에는 피상적인 것에서부터 본질적인 것으로 감사하게 된다는 것이다.

공부한 것에 대한 감사는 어떤 공부를 어떻게 했는지에 대한 감사로 변화된다. 친구들과 함께 축구를 한 것에 대한 감사는 어떤 친구가 잘해서 감사하고 어떤 친구는 어떤 포지션을 잘해서 감사하게 된다로 감사가 성장해 나간다는 것이다.

감사일기를 써보면 처음부터 진정한 내면으로부터의 감사라기보다는 외면적이고 피상적인 감사에 그칠 때가 많다는 것을 알게 된다.

그러나 감사일기는 진정한 내면으로부터 나와야 한다. 그래야만 자신이 변화되고 성숙할 수 있을 것이다.

감사일기를 쓰고 시간이 지날수록 자신의 내면의 소리에 귀를 기울인다는 것을 알게 된다. 진정한 감사는 자신의 내면으로부터 나오는 것이고 그런 감사를 통해서 우린 더욱 성숙해 나갈 수 있을 것이다.

자녀와 함께 감사일기를 쓰자

유찬이와 함께해 온 16년간의 여행은 나에게 축복의 시간이었다. 아들이 태어난 2008년의 서울에서의 생활은 너무나 바쁜 시기였다. 회사가 상장을 앞두고 직원들과 선생님들에게 비전을 주어야만 했던 때였다. 회사는 스톡옵션을 직원들에게 주었다.

겁이 없었던 30대였다. 모든 것이 나를 위해 준비되어 진 것 같았다. 유찬이의 돌을 정상제이엘에스에서 보내고 모 임원이 임원 회의가 끝나고 돌아와서 갑자기 나에게 화를 내고 소리를 쳤다. 그때 그 사건이 없었다면 아마도 정상제이엘에스에 더 근무했을 것이다.

사람은 누구나 인생에서 몇 번의 기회와 위기를 맞이한다. 그 위기를 슬기롭게 잘 이겨내고 다시 기회로 바꾸어야 한다.

유찬이와 나는 어릴 때부터 베다니 교회에 다녔다.

유찬이는 베다니 교회 유아부에 등록해서 다녔다. 아들과 함께 다닌 베다니 교회는 언제나 행복 그 자체였다. 지금도 그때 베다니 교회 유아부 선생님 전화가 등록되어 있다.

아들은 지금도 베다니 교회를 기억하고 있다고 했다. 아들의 기억 속에는 베다니 교회에 가면 맛있는 국수를 예배가 끝나면 아빠와 함께 먹었다는 것을 기억하고 있었다.

유찬이는 그렇게 무럭무럭 자랐고 나를 따라서 김천으로 내려왔다. 초등학교 때는 정상어학원을 했던 나와 함께 보내면서 정상어학원과 함께 살았다고 해도 과언이 아니었다. 초등학교가 끝나면 정상어학원 바로 밑에 태권도 도장을 다녔고 정상어학원에서 저녁을 먹고 집으로 갔다.

중학교를 집 바로 앞에 있는 석천중학교로 가게 되었다. 아들은 중학교에 승급하면서 육체적으로뿐만 아니라 영적으로도 많이 성장하였다.

중학교 1학년 어느 날 학교에서 "감사일기"를 쓰면 장학금도 준다고 감사 일기책을 집으로 가지고 왔다.

유찬이와 나는 그렇게 난생처음 "감사일기" 책에 감사일기를 쓰기 시작했다. 감사일기를 쓰면서 유찬이는 더욱 영적으로 성장할 기회가 되었다.

유찬이가 감사일기를 쓰면서 고마움과 감사함에 대하여 더욱 생각해 볼 수 있었다. 감사일기를 쓰면서 하루에 있었던 일에 대하여 생각해 보고 고마움과 감사의 의미에 대하여 생각했다.

유찬이는 이제 중학교 3학년이다. 중학교까지 보내면서 유찬이는 김천 제일교회에서 세례도 받았고 고등학교도 입학하게 되었다.

앞으로 더 좋은 일도 많이 하고 책도 많이 읽고 하나님을 믿고 기도하며 말씀 안에서 살아가고 최선을 다해서 인생을 멋지게 살아갈 수 있는 유찬이가 되기를 기도한다.

제5화 인생을 변화시키는 감사일기 쓰는 15가지 방법

자신의 인생에서 진정 삶의 변화를 원한다면 감사일기를 써보자. 타인에게 맞춰진 삶이 아닌 자신의 인생을 살아가는 모습을 볼 수 있을 것이다.

1. 모든 것에 감사하자.

소소한 것에서부터 큰 것에 이르기까지 모든 것에 감사해보자. 처음에 큰 것에 감사하지만 나중에는 작은 일에도 감사 할 수 있게 된다.

2. 고마운 것이 감사합니다.

고마운 것에 대해서도 써보자. 고마움이 감사함으로 다가올 것이다.

3. **오늘 하루 좋았던 점을 적어보자.**

오늘 있었던 일 중에서 행복했거나 좋았던 점을 적어보자. 모든 것에 감사하게 될 것이다.

4. **매일 한 줄이라도 계속 쓰자.**

감사일기는 감사함을 느낀 점을 한 줄이라고 매일 계속 써야 한다. 습관이 감사함을 이길 것이다.

5. **아침에 일어나 그날 감사할 일에 감사일기를 쓰자.**

저녁에 감사일기를 쓰는 대신 아침에 일어나자마자 그 날 일에 대해 감사한 것을 써보자. 하루가 감사해질 것이다.

6. **감사편지를 써보자.**

자신, 부모, 형제, 친구에게 감사편지를 써보자. 감사함이 좋은 인간관계로 발전하게 될 것이다.

7. 감사카드를 쓰자.

다양한 종류의 감사카드를 써보자. 감사가 더 가까이 다가올 것이다.

8. 걱정, 불평, 불만을 감사일기로 바꿔쓰자.

걱정이나 불평, 불만을 감사일기로 바꿔 써보면 앞으로는 걱정, 불평, 불만이 더 줄어드는 것을 알게 될 것이다.

9. **하루를 더 좋게 보낼 수 있었던 부분을 감사하게 써보자.**

오늘 하루 중 더 좋게 보낼 수 있었던 일들을 긍정적으로 감사하면서 써보자. 다음에는 더 좋은 일들이 될 것이다.

10. 긍정적으로 쓰자.

감사일기를 쓰는데 부정적으로 쓰는 사람이 있다. 감사일기는 절대 긍정으로 써야 한다.

11. 감사일기는 구체적으로 쓰자.

소소한 일에 감사하면 큰일은 무조건 감사하게 된다. 자세하게 감사해보자.

12. 감사일기는 감사합니다. 덕분입니다. 고맙습니다. 등으로 마무리하자.

감사일기는 무조건 끝맺음을 감사합니다, 덕분입니다, 고맙습니다로 문장을 끝내자.

13. 아침에 일어나서 그날에 대한 감사를 3가지 적어보자.

그 날 있을 일에 대하여 미리 감사하면 더 큰 감사가 될 것이다.

14. 하루 피드백을 감사일기로 쓰자.

하루에 있었던 일을 피드백해보고 더 좋은 방향으로 감사일기를 써보자. 내일이 달라질 것이다.

15. **칭찬일기를 쓰자.**

자신과 가족, 친구, 동료 등 모든 사람을 칭찬하는 칭찬일기를 쓰면 더 감사하게 될 것이다.